D1408415

# *Contes*

*pour les tout-petits*

# *Contes*
## *pour les tout-petits*

ILLUSTRÉ PAR
Alexandre et Serguei Bagdassarian

PARIS • BRUXELLES • MONTRÉAL • ZURICH

*Contes pour les tout-petits*
*est une publication de*
*SÉLECTION DU READER'S DIGEST*

*Cet ouvrage a été réalisé par* PREMIÈRE PAGE
*Production : Dominique Artigaud*
*Maquette : Mireille Palicot*
*Illustrations : Alexandre et Serguei Bagdassarian*
*Rédaction/Correction : Nicole Thirion*
*Enregistrement : Studio Roberto Gimenez*

*Sous la direction de l'équipe éditoriale*
*de Sélection du Reader's Digest*
*Direction éditoriale : Gérard Chenuet*
*Responsables de l'ouvrage : Philippe Leclerc,*
*Caroline Lozano*
*Lecture-correction : Catherine Decayeux*
*Fabrication : Frédéric Pecqueux*

*PREMIÈRE ÉDITION*



**ISBN : 2-7098-0931-1**

# Sommaire

## *Contes de Perrault*


Le Petit Chaperon rouge 8
Le Chat botté 14
Cendrillon 20
Les Fées 28

## *Contes de Grimm et Andersen*


Les Musiciens de Brême 36
La Princesse au petit pois 42
Les Habits neufs de l'empereur 48
Hansel et Gretel 54

## *Contes traditionnels*


Olaf et l'Aigle géant 62
Aladin 70
Boucle d'or 80
L'Oiseau de feu 86

# Le Petit Chaperon rouge

Il était une fois une petite fille de village, la plus jolie qu'on eût pu voir. Sa mère en était folle, et sa grand-mère plus folle encore. Cette bonne femme lui fit faire un chaperon rouge, qui lui allait si bien que partout on l'appelait le Petit Chaperon rouge.

Un jour, la mère, ayant cuit et fait des galettes, lui dit :

– Va voir comment se porte ta mère-grand, car on m'a dit qu'elle était malade. Porte-lui une galette et ce petit pot de beurre.

Le Petit Chaperon rouge, ayant mis dans un panier la galette et le petit pot de beurre, partit aussitôt pour aller chez sa mère-grand, qui demeurait dans un autre village. En passant dans un bois, elle rencontra compère le loup, qui eut bien envie de la manger ; mais il n'osa pas, à cause de quelques bûcherons qui étaient dans la forêt. Il lui demanda où elle allait. La pauvre enfant, qui ne savait pas qu'il est dangereux de s'arrêter à écouter un loup, lui dit :
– Je vais voir ma mère-grand et lui porter une galette avec un petit pot de beurre que ma mère lui envoie.
– Demeure-t-elle bien loin ? lui dit le loup.
– Oh ! oui, dit le Petit Chaperon rouge, c'est par-delà le moulin que vous voyez tout là-bas, à la première maison du village.

– Eh bien, dit le loup, je veux l’aller voir aussi. Je m’en vais par ce chemin-ci, et toi par ce chemin-là, et nous verrons qui le plus tôt y sera.
Le loup se mit à courir de toute sa force par le chemin qui était le plus court, tandis que la petite fille s’en allait par le chemin le plus long.
Elle ne se pressait pas, au contraire, elle chantonnait et dansait gaiement le long du sentier, s’amusant à cueillir des noisettes, à courir après les papillons et à faire des bouquets des petites fleurs qu’elle rencontrait.
Le loup ne fut pas long à arriver à la maison de la mère-grand. Il heurte. Toc, toc.

– Qui est là ?
– C'est votre petite fille, le Petit Chaperon rouge, dit le loup en contrefaisant sa voix, qui vous apporte une galette et un petit pot de beurre que ma mère vous envoie.
La bonne mère-grand, qui était dans son lit, car elle se trouvait un peu mal, lui cria :
– Tire la chevillette et la bobinette cherra !
Le loup tira la chevillette et la porte s'ouvrit. Il se jeta sur la bonne femme et la dévora en moins de rien, car il y avait plus de trois jours qu'il n'avait mangé.
Ensuite, il ferma la porte et alla se coucher dans le lit de la mère-grand, en attendant le Petit Chaperon rouge, qui quelque temps après vint heurter à la porte.

Toc, toc.
– Qui est là ?
Le Petit Chaperon rouge, entendant la grosse voix, eut peur, mais, croyant que sa mère-grand était enrhumée, répondit :
– C'est votre petite fille, le Petit Chaperon rouge, qui vous apporte une galette et un petit pot de beurre que ma mère vous envoie.
Le loup lui cria, en adoucissant un peu sa voix :
– Tire la chevillette et la bobinette cherra !
Le Petit Chaperon rouge tira la chevillette et la porte s'ouvrit.
Le loup, la voyant entrer, lui dit en se cachant dans le lit :

– Mets la galette et le petit pot de beurre sur la huche et viens te coucher avec moi.
Le Petit Chaperon rouge se déshabille et va se mettre dans le lit, où elle fut bien étonnée de voir comment sa mère-grand était faite en son déshabillé.

Elle lui dit :
– Mère-grand, que vous avez de grands bras !
– C'est pour mieux t'embrasser, mon enfant.
– Mère-grand, que vous avez de grandes oreilles !
– C'est pour mieux t'écouter, mon enfant.
– Mère-grand, comme vous avez de grands yeux !
– C'est pour mieux te voir, mon enfant.
– Mère-grand, comme vous avez de grandes dents !
– C'est pour mieux te manger !
Et, disant ces mots, le méchant loup se jeta sur le Petit Chaperon rouge et la mangea.

# Le Chat botté

Un meunier qui avait trois fils mourut en leur laissant pour tout héritage un moulin, un âne et un chat. Le partage fut bientôt fait : l'aîné prit le moulin, le second l'âne et le plus jeune dut se contenter du chat.
Le troisième fils en fut tout affligé : une fois qu'il aurait mangé son chat, allait-il simplement mourir de faim ?
C'est alors qu'il entendit son chat lui tenir ce discours :
– Ne vous affligez pas, mon maître : si vous voulez bien me donner un sac avec un cordon et me faire faire une paire de bottes à ma taille, vous verrez que vous n'êtes pas si mal loti que vous le croyez.
C'était un chat si habile et matois que son maître se dit qu'il pouvait bien courir sa chance. Et il lui fournit ce qu'il lui demandait.
Le chat se botta, mit le sac à son cou, y déposa un peu de son et, ainsi équipé, se rendit dans la garenne la plus proche. Il s'y étendit, en prenant bien soin de garder le cordon du sac entre ses pattes de devant, et fit le mort.

Attiré par l'odeur du son, un jeune étourdi de lapin ne tarda pas à s'introduire dans le sac. Le chat tira sur le cordon, saisit sa proie et la tua sans miséricorde.
Sitôt fait, il se rendit chez le roi et demanda à lui parler.
– Voilà, sire, dit-il après une large révérence, un lapin de garenne que Monsieur le marquis de Carabas m'a chargé de vous présenter de sa part.
Le roi, qui appréciait fort le gibier, le pria de transmettre ses remerciements à son maître.
Puis le chat répéta de temps en temps le même stratagème, offrant au roi quelque nouveau gibier, toujours de la part de Monsieur le marquis de Carabas.
Un jour, apprenant que le roi devait aller se promener sur le bord de la rivière avec sa fille, il dit à son maître :
– Si vous voulez bien me faire confiance, votre fortune est faite : baignez-vous dans la rivière à l'endroit que je vous dis, et laissez-moi faire.

Cette fois encore, le maître se laissa convaincre.

Et lorsque le carrosse approcha de la rivière, le roi entendit crier :
– Au secours ! À l'aide ! Monsieur le marquis de Carabas est en train de se noyer ! Il se pencha à la portière, reconnut le chat et ordonna aussitôt à ses gardes de venir en aide au marquis. Et comme le chat se plaignait que les vêtements de

son maître aient été dérobés lors de sa baignade, il ajouta :
– Qu'on aille quérir un de mes plus beaux habits !
Car il savait se montrer reconnaissant.
Dans cet habit royal, le bel homme qu'était le marquis de Carabas se trouva fort à son avantage, et la jeune princesse, à qui il lançait quelques regards tendres, en tomba aussitôt amoureuse.

Voyant que le roi faisait monter le marquis dans son carrosse pour poursuivre la promenade en sa compagnie, le chat se dit que les choses prenaient bonne tournure. Il prit les devants, et s'adressant à des paysans qui fauchaient un pré :
– Bonnes gens, leur dit-il, si vous ne dites au roi que le pré que vous fauchez appartient à Monsieur le marquis de Carabas, vous serez tous hachés menu comme chair à pâté.
Et il tint le même discours à tous les paysans qu'il trouva sur son chemin. La menace fit son effet : lorsque le roi chercha à savoir à qui appartenaient les vastes terres qu'il avait sous les yeux, il s'entendit partout répondre d'une seule voix :
– À Monsieur le marquis de Carabas !
Le chat, qui marchait toujours devant, finit par arriver aux portes d'un vaste château. Interrogeant les domestiques, il apprit que le maître des lieux, ainsi que de toutes les terres alentour, était un ogre, mais un ogre qui avait d'étranges dons.

Il demanda alors à lui parler.
– On m'a assuré, lui dit-il, que vous êtes capable de vous changer en toutes sortes d'animaux. En lion, par exemple.
– C'est vrai, dit l'ogre. Regardez donc.
Et le chat, terrorisé, vit un lion surgir devant lui. Il rassembla son courage et insista :

– Mais est-il possible que vous ayez aussi le pouvoir de vous changer en tout petit animal ? En souris par exemple ?
– Possible ? Jugez vous-même !
Et le chat n'eut plus sous les yeux qu'une souris qui courait sur le plancher. D'un trait, il se jeta dessus et la croqua.
C'est alors qu'il entendit le bruit du carrosse qui passait le pont-levis. Le chat se précipita pour annoncer :
– Bienvenue à Sa Majesté dans le château de Monsieur le marquis de Carabas !
Puis il fit visiter les lieux et servir les meilleurs plats de la maison. Le roi, conquis, n'hésita plus : il offrit au marquis la main de sa fille, à la grande joie de celle-ci. Les noces furent célébrées le jour même.

Et le chat, dont la malice valait tous les héritages, obtint le titre de grand seigneur.

# Cendrillon

Il était une fois une belle jeune fille, d'une douceur et d'une bonté sans exemple, mais dont le père avait épousé en secondes noces une femme hautaine et fière, qui avait deux filles de même humeur.

Toutes trois se plaisaient à l'accabler. Elles la chargeaient des plus dures besognes, et la laissaient dormir sur une paillasse au grenier, quand elles vivaient dans des chambres luxueuses où elles passaient leur temps à soigner leur toilette. La jeune fille souffrait en silence, et comme elle aimait à se réfugier dans les cendres de la cheminée, elle avait gagné le surnom de Cendrillon.

Un beau jour, le fils du roi, qui était en âge de se marier, donna un bal, auquel les deux sœurs furent conviées.

Dans la maison, il ne fut alors plus question que de toilettes.

– Moi, dit l'aînée, je mettrai mon habit de velours rouge et ma dentelle d'Angleterre.

– Moi, dit la cadette, je porterai sur ma jupe simple mon manteau à fleurs avec ma barrette de diamants.

Pour la pauvre Cendrillon, tout cela n'était qu'un surcroît de peine, car c'est elle qui devait coudre, laver, repasser. Elle n'en donna pas moins de multiples conseils à ses sœurs et s'offrit même à les coiffer, ce qu'elle fit avec art.
Mais le soir du bal, voyant le carrosse emporter ses sœurs, elle se mit à pleurer.
– Pourquoi tant de larmes, Cendrillon ?
C'était sa marraine la fée.
– J'aimerais tant…
J'aimerais tant… aller au bal, moi aussi.
– Tu iras au bal. Apporte-moi une citrouille.
Sans comprendre, Cendrillon courut cueillir la plus belle citrouille du jardin. Alors, d'un coup de sa baguette, la fée la transforma en un magnifique carrosse d'or.
Puis elle changea les souris de la souricière en six chevaux d'un beau gris pommelé, le rat de la ratière en un cocher à belles moustaches et les six lézards qui couraient derrière l'arrosoir en six élégants laquais.
Enfin, effleurant Cendrillon de sa baguette, elle la para d'habits d'or et d'argent et la chaussa de ravissantes pantoufles de vair.

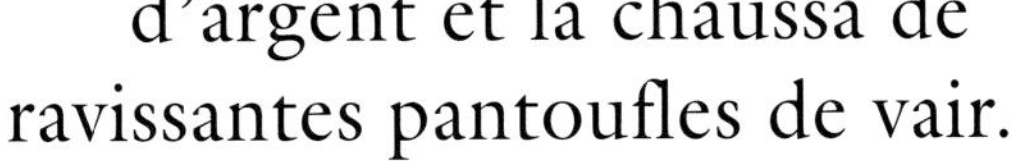

– Va, lui dit-elle, mais surtout sois de retour à minuit, car au douzième coup, le charme se dissipera.
Cendrillon promit de rentrer à temps, monta dans le carrosse et partit, folle de joie.
Lorsqu'elle entra dans la salle de bal, les danseurs s'arrêtèrent et les violons se turent : qui était cette splendide inconnue ? Le fils du roi, émerveillé, l'invita à danser et n'eut plus d'yeux que pour elle.
Elle dansa, dansa avec beaucoup de grâce. Puis elle alla s'asseoir près de ses sœurs et leur fit mille gentillesses, à leur grand étonnement.
Mais, entendant soudain sonner onze heures trois quarts, elle salua et s'échappa.

Retrouvant sa marraine, elle demanda à pouvoir retourner au bal le lendemain, car le prince l'en avait priée.
Bientôt, les sœurs rentrèrent à leur tour. Faisant mine de sortir du sommeil, Cendrillon leur demanda des nouvelles du bal.
– Le croiras-tu ? Il est venu la plus belle princesse que l'on puisse jamais voir ! Elle nous a fait mille civilités. Le prince était tout affligé de la voir partir, or personne ne sait qui elle est.
Le lendemain, les deux sœurs retournèrent au bal, et Cendrillon aussi. Toute la soirée, le prince lui conta mille douceurs. Transportée, elle en oublia l'avertissement de sa marraine, et lorsqu'elle entendit retentir les premiers coups de minuit, elle se leva précipitamment et s'enfuit, laissant dans sa hâte tomber une de ses pantoufles de vair.

Elle rentra chez elle dans ses vieux habits avec, dans sa poche, l'autre pantoufle.
Au retour de ses sœurs, elle s'enquit :
– La belle dame est-elle revenue ?
– Oui, mais à minuit elle est partie en toute hâte. Le prince a cherché à la suivre, mais il n'a trouvé d'elle qu'une de ses pantoufles tombées dans l'escalier.

Il a passé le reste de la soirée à la contempler.
Peu après, une annonce fut faite à son de trompe : le fils du roi épouserait celle dont le pied chausserait la pantoufle perdue.
On commença à l'essayer aux princesses, puis aux duchesses et à toute la cour. Sans succès.

On l'apporta aussi chez les deux sœurs.
Alors qu'elles s'échinaient à y faire entrer leur pied trop grand, Cendrillon, qui les regardait faire, suggéra en riant qu'elle pourrait bien elle aussi l'essayer. Les sœurs ricanèrent, bien sûr, mais le messager royal, qui la trouvait très belle dans ses pauvres habits, dit qu'il avait ordre de l'essayer à toutes les jeunes filles.
Il approcha la pantoufle de son petit pied et vit qu'elle le chaussait à la perfection.

De sa poche, Cendrillon tira alors l'autre petite pantoufle de vair. La fée réapparut, et d'un coup de baguette la revêtit de ses magnifiques habits de bal. Stupéfaites, les deux sœurs se jetèrent aux pieds de celle qu'elles avaient tant maltraitée et implorèrent son pardon. Cendrillon fut amenée chez le prince, qui la trouva plus belle que jamais. Quelques jours plus tard, il l'épousa. Et comme elle était aussi bonne que belle, elle maria ses sœurs à deux grands seigneurs de la cour.

# Les Fées

Il était une fois une veuve qui avait deux filles : l'aînée lui ressemblait si fort d'humeur et de visage que qui la voyait, voyait la mère. Elles étaient toutes deux si désagréables et orgueilleuses, qu'on ne pouvait vivre avec elles. La cadette, qui était le vrai portrait de son père pour la douceur et l'honnêteté, était avec cela une des plus belles filles qu'on eût pu voir. Comme on aime naturellement son semblable, cette mère était folle de sa fille aînée, et, en même temps, avait une aversion effroyable pour la cadette. Elle la faisait manger à la cuisine et travailler sans cesse.
Il fallait, entre autres choses, que cette pauvre enfant allât, deux fois par jour, puiser de l'eau à une grande demi-lieue du logis, et qu'elle en rapportât une grande cruche pleine. Un jour qu'elle était à cette fontaine, il vint à elle une pauvre femme qui la pria de lui donner à boire :
– Oui-da, ma bonne mère, dit cette belle fille.
Et, rinçant aussitôt sa cruche, elle puisa de l'eau au plus bel endroit de la fontaine et la lui présenta, soutenant toujours la cruche, afin qu'elle bût plus aisément.

La bonne femme, ayant bu, lui dit :
– Vous êtes si belle, si bonne et si honnête, que je ne puis m'empêcher de vous faire un don (car c'était une fée, qui avait pris la forme d'une pauvre femme de village pour voir jusqu'où irait l'honnêteté de cette jeune fille). Je vous donne pour don, poursuivit la fée, qu'à chaque parole que vous direz, il vous sortira de la bouche ou une fleur ou une pierre précieuse.

Lorsque cette belle fille arriva au logis, sa mère la gronda de revenir si tard de la fontaine.
– Je vous demande pardon, ma mère, dit la malheureuse, d'avoir tardé si longtemps.
Et, en disant ces mots, il lui sortit de la bouche deux roses, deux perles et deux gros diamants.
– Que vois-je là ? dit sa mère tout étonnée ; je crois qu'il lui sort de la bouche des perles et des diamants ! D'où vient cela, ma fille ? (Ce fut là la première fois qu'elle l'appela sa fille.)
La pauvre enfant lui raconta naïvement tout ce qui lui était arrivé, non sans jeter une infinité de diamants.

– Vraiment, dit la mère, il faut que j'y envoie ma fille. Tenez, Fanchon, voyez ce qui sort de la bouche de votre sœur quand elle parle ; ne seriez-vous pas bien aise d'avoir le même don ? Vous n'avez qu'à aller puiser de l'eau à la fontaine, et quand une pauvre femme vous demandera à boire, lui en donner bien honnêtement.
– Il ferait beau voir, répondit la brutale, que j'aille à la fontaine !
– Je veux que vous y alliez, reprit la mère, et tout de suite.
Elle y alla, mais toujours en grondant. Elle prit le plus beau flacon d'argent qui fût dans le logis. Arrivée à la fontaine, elle vit sortir du bois une dame magnifiquement vêtue, qui vint lui demander à boire. C'était la même fée qui était apparue à sa sœur, mais qui avait pris l'air et les habits d'une princesse, pour voir jusqu'où irait la malhonnêteté de cette fille.

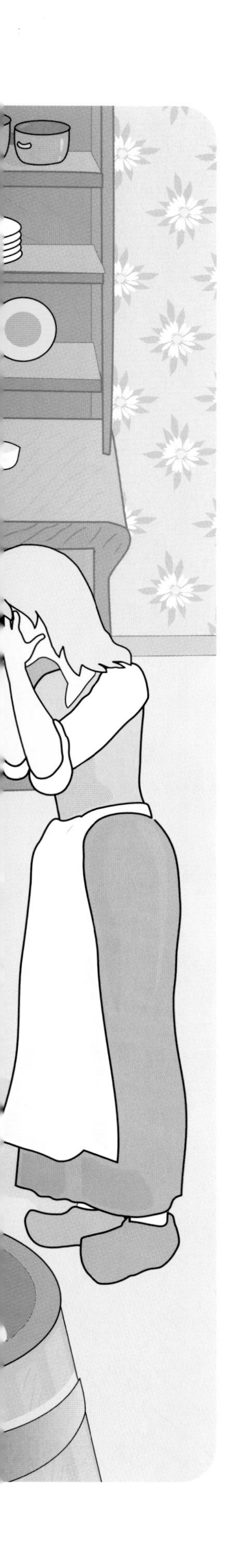

– Est-ce que je suis venue, lui dit cette brutale orgueilleuse, pour vous donner à boire ? Justement, j'ai apporté un flacon d'argent tout exprès pour donner à boire à madame ; en vérité, servez-vous vous-même !
– Vous n'êtes guère honnête, reprit la fée sans se mettre en colère. Et bien ! puisque vous êtes si peu obligeante, je vous donne pour don que, à chaque parole que vous direz, il vous sortira de la bouche ou un serpent ou un crapaud.
Dès que sa mère l'aperçut, elle lui cria :
– Et bien ! ma fille ?
– Et bien ! ma mère ? lui répondit la brutale, en jetant deux vipères et deux crapauds.
– Ô ciel ! s'écria la mère, que vois-je là ? C'est sa sœur qui en est la cause : elle me le paiera.

Et aussitôt elle courut pour la battre. La pauvre enfant s'enfuit et alla se sauver dans la forêt voisine. Le fils du roi, qui revenait de la chasse, la rencontra, et la voyant si belle, lui demanda ce qu'elle faisait là toute seule et ce qu'elle avait à pleurer.

– Hélas ! monsieur, c'est ma mère qui m'a chassée du logis.

Le fils du roi, qui vit sortir de sa bouche cinq ou six perles et autant de diamants, la pria de lui dire d'où cela lui venait. Elle lui raconta toute son aventure. Le fils du roi en devint amoureux, et considérant qu'un tel don valait mieux que tout ce qu'on pouvait donner en dot à une autre, l'emmena au palais du roi son père, où il l'épousa.

Pour sa sœur, elle se fit tant haïr que sa propre mère la chassa de chez elle ; et la malheureuse, après avoir bien couru sans trouver personne qui voulût la recevoir, alla mourir au coin d'un bois.

# Les Musiciens de Brême

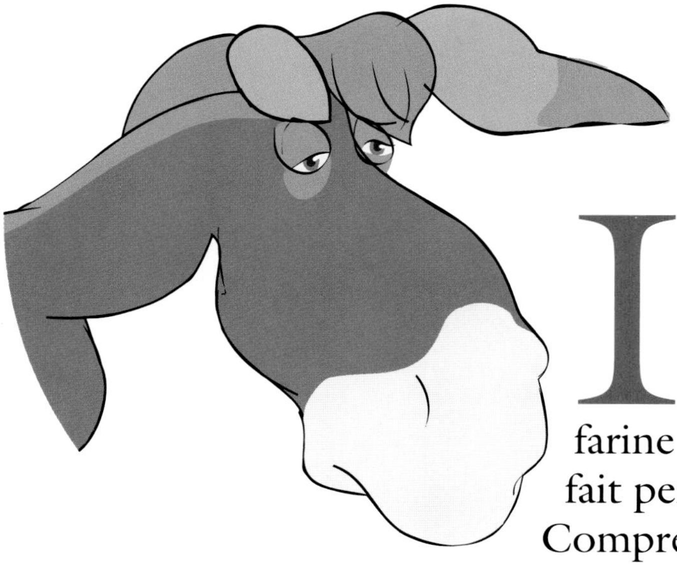

Il était une fois un âne qui se faisait si vieux qu'il n'arrivait plus à porter les sacs de farine au moulin comme il l'avait fait pendant tant d'années.

Comprenant que son maître le meunier n'allait pas tarder à se débarrasser de lui, il s'enfuit. Il prit la route de Brême, car là-bas, pensait-il, il trouverait bien une place de musicien dans la fanfare municipale. Chemin faisant, il rencontra, couché sur le bas-côté, un vieux chien de chasse qui gémissait.

– Mais qu'as-tu donc à gémir comme ça ? demanda l'âne.

– Je suis vieux, dit le chien, et sous prétexte que je ne suis plus capable de chasser, mon maître a cherché à me tuer. Je me suis sauvé. Mais que faire maintenant ?

– Viens avec moi jusqu'à Brême, nous irons jouer ensemble dans la fanfare municipale !

Enchanté de la proposition, le chien le suivit. Chemin faisant, ils rencontrèrent, assis sur la route, un vieux chat qui faisait une tête de six pieds de long.
– Mais qu'as-tu donc à faire si triste mine ?
– Je suis vieux, et voyant que j'avais cessé de chasser les souris, ma maîtresse a tenté de me noyer. J'ai filé. Mais que faire maintenant ?
– Viens donc avec nous jusqu'à Brême, nous pourrons y monter un trio de musiciens !
Et les voilà repartis. Bientôt, nos trois fugitifs arrivèrent devant la cour d'une ferme, où un coq chantait à tue-tête.
– Mais pourquoi brailles-tu ainsi à nous casser les oreilles ?
– Hélas ! c'est mon adieu à la vie. Car demain, premier dimanche du printemps, la fermière a décidé de me tordre le cou et de me servir en sauce à ses invités !
– Viens donc avec nous jusqu'à Brême : ensemble, nous pourrons y jouer une musique du tonnerre.

C'est ainsi qu'ils reprirent la route à quatre. Le soir tombant, alors qu'ils s'apprêtaient à s'installer tant bien que mal dans la forêt pour la nuit, ils aperçurent une lumière qui brillait dans le lointain.
– Allons voir, fit l'âne, car ici, la nuit risque d'être fort inconfortable.
– C'est vrai, dit le chien. D'ailleurs, je ne serais pas fâché si l'on y trouvait un ou deux os à nous mettre sous la dent.
Ils s'avancèrent et découvrirent bientôt une vaste maison tout illuminée. L'âne, qui était le plus grand, s'approcha de la fenêtre.
– Que vois-tu, mon âne ? demanda le coq.
– Je vois une belle table couverte de bonnes choses à manger ! Et tout autour, dix brigands qui se régalent !
Ils discutèrent un moment à voix basse. Puis l'âne se dressa sur ses pattes arrière, posant celles de devant sur le rebord de la fenêtre ; le chien monta sur son dos et le chat sur celui du chien ; et le coq vint se percher sur la tête du chat. Et la pyramide se mit soudain à braire, aboyer, miauler et crier dans un vacarme assourdissant.

Terrorisés par ce qu'ils croyaient être l'irruption d'un fantôme, les brigands filèrent se réfugier dans la forêt. Alors nos quatre compères se mirent à table et finirent les restes de très bon appétit. Puis chacun s'installa pour dormir dans le recoin qui lui convenait.
À minuit, les brigands, ne voyant plus de lumière dans la maison, décidèrent d'envoyer l'un d'entre eux inspecter les lieux. L'homme s'approcha, vit que tout était calme et s'avança vers la cheminée. Mais le chat, réveillé, lui sauta au visage et le griffa en sifflant. Il chercha à fuir par l'autre porte, mais il heurta le chien, qui le mordit à la jambe.
Il courut alors comme un fou à travers la cour, où l'âne lui décocha un méchant coup de sabot tandis que le coq se mettait à brailler.
Lorsqu'il retrouva ses comparses dans la forêt, il leur dit tout secoué de terreur :
– Dans la maison, il y a une sorcière qui m'a déchiré le visage avec ses ongles, un démon qui m'a tailladé la jambe avec un couteau, un monstre qui m'a assommé avec une massue et un policier qui a hurlé au voleur. J'ai bien failli y rester !
Les bandits abandonnèrent définitivement la maison et nos quatre musiciens s'y trouvèrent si bien qu'ils n'allèrent jamais jusqu'à Brême.

# La Princesse au petit pois

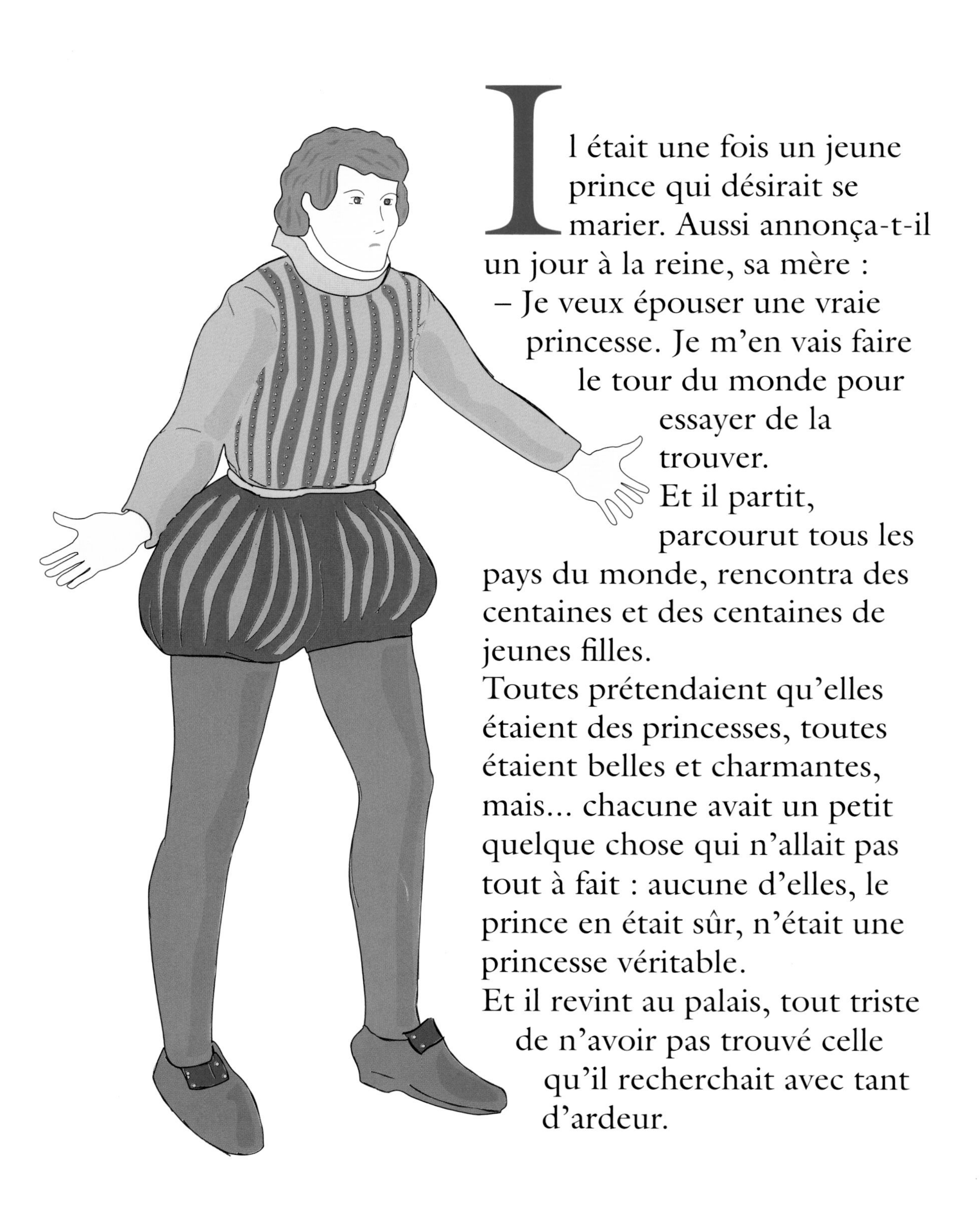

Il était une fois un jeune prince qui désirait se marier. Aussi annonça-t-il un jour à la reine, sa mère :
– Je veux épouser une vraie princesse. Je m'en vais faire le tour du monde pour essayer de la trouver.
Et il partit, parcourut tous les pays du monde, rencontra des centaines et des centaines de jeunes filles.
Toutes prétendaient qu'elles étaient des princesses, toutes étaient belles et charmantes, mais... chacune avait un petit quelque chose qui n'allait pas tout à fait : aucune d'elles, le prince en était sûr, n'était une princesse véritable.
Et il revint au palais, tout triste de n'avoir pas trouvé celle qu'il recherchait avec tant d'ardeur.

Le soir suivant son retour au palais, un terrible orage éclata. Entre deux éclairs et deux grondements de tonnerre, et tandis que la pluie tombait à torrents, on entendit soudain frapper à la porte du palais.
Le prince ordonna à son page d'aller ouvrir. Celui-ci revint au bout de quelques instants, et déclara :
– C'est une jeune fille qui demande à s'abriter. Elle dit qu'elle est une princesse.
– Qu'elle entre ! dirent en même temps le prince et sa mère.
Ils virent apparaître une jeune fille trempée, échevelée, ruisselante de pluie.
La reine fut cependant très aimable avec elle :
– Malheureuse enfant ! Vous ne pouvez pas repartir par un temps pareil ! Vous dormirez ici cette nuit. Nous allons vous donner tout ce qu'il vous faut pour vous changer en attendant que l'on vous prépare une chambre.
Et, pendant que la jeune fille passait une robe que les servantes de la reine lui avaient apportée, celle-ci alla dans la chambre qu'elle destinait à sa visiteuse.
La reine enleva les draps du lit et la couette, puis fit de même avec le matelas. Elle déposa un petit pois sur le sommier, puis replaça le matelas.

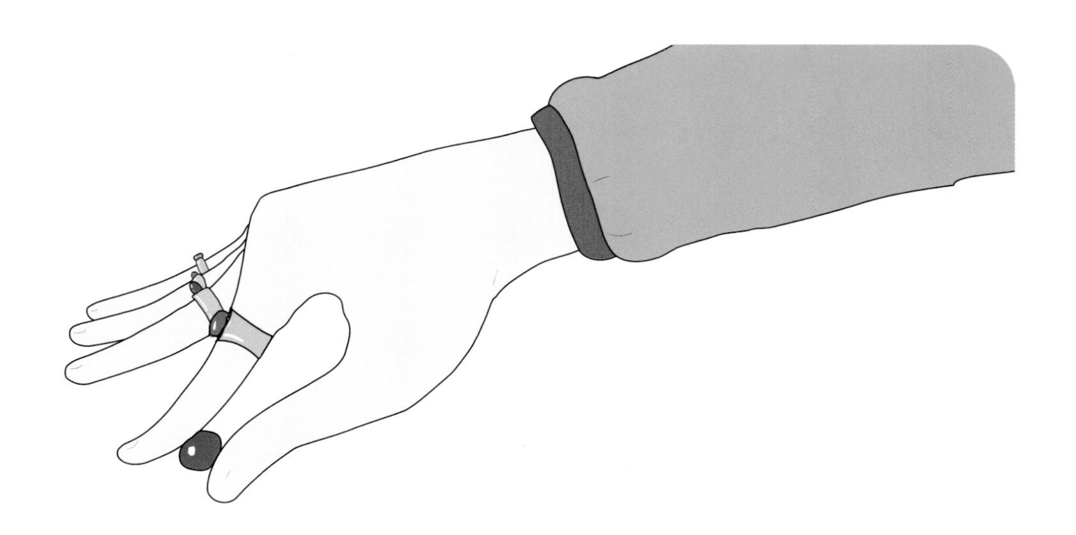

Ensuite, elle ajouta un autre matelas sur le premier, puis encore un autre, et un autre, jusqu'à ce que vingt matelas soient ainsi superposés. Elle recouvrit les matelas de vingt couettes et refit le lit.
Et tout le monde alla se coucher bien tranquillement.
Le lendemain, la reine demanda à la jeune fille si elle avait passé une bonne nuit.
– Oh, non ! Je n'ai malheureusement pas pu fermer l'œil de la nuit, répondit-elle.
Il y avait quelque chose de très dur dans ce lit, je ne sais pas ce que c'était, mais je suis couverte de bleus. C'est vraiment affreux !

La reine, toute contente, courut chercher le prince, son fils :
– Je crois que nous avons enfin trouvé une princesse. Seule une véritable princesse peut avoir la peau assez fine pour sentir un petit pois à travers vingt matelas et vingt couettes !
Le prince, ravi d'avoir enfin trouvé sa princesse, la demanda en mariage et la princesse accepta avec joie de l'épouser.
Quelques semaines plus tard, le mariage fut célébré en grande pompe au palais. Ce jour-là, le prince déposa solennellement le précieux petit pois dans la vitrine des bijoux, sur un coussin de velours rouge.
Il doit s'y trouver encore, si personne ne l'a pris !

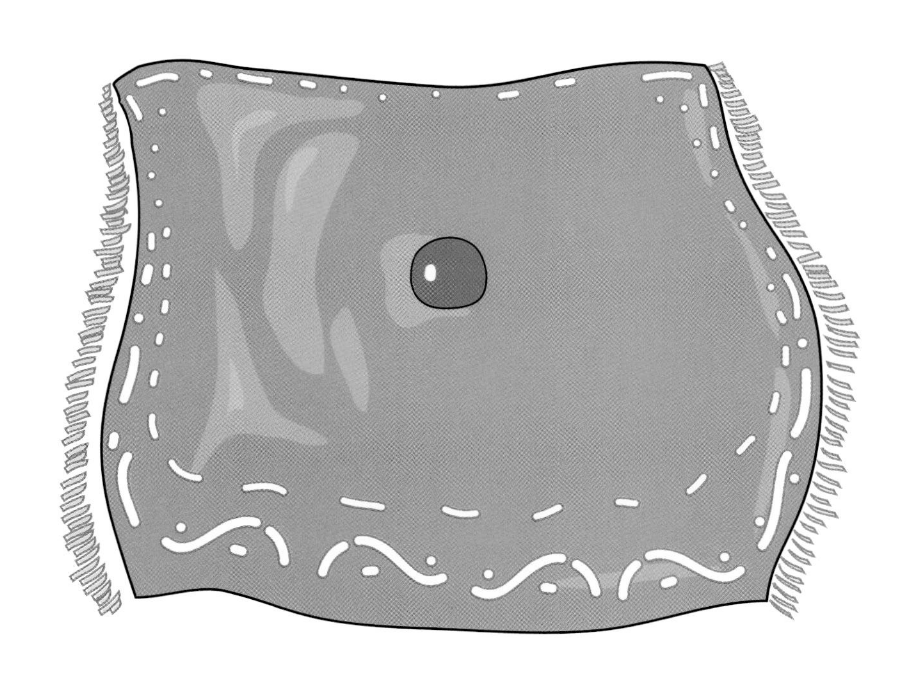

# Les Habits neufs de l'empereur

Il y a bien longtemps vivait un empereur qui raffolait des beaux costumes et n'avait rien d'autre en tête. Il en changeait à chaque heure du jour, si bien qu'on disait, pour parler de ses occupations : « L'empereur est dans sa garde-robe.»

Cette manie faisait rire et attirait beaucoup de monde. Un jour se présentèrent à lui deux escrocs, qui se firent passer pour tisserands et prétendirent savoir tisser une étoffe ravissante, qui avait cette propriété exceptionnelle d'être invisible aux sots ainsi qu'à ceux qui ne savaient remplir leur emploi.
– Voilà de charmants habits, se dit l'empereur. En les portant, je pourrai repérer les sots et découvrir les hommes de mon royaume qui ne savent remplir leur emploi !
Et il donna beaucoup d'argent aux deux escrocs pour qu'ils commencent à tisser cette étoffe si rare.

Au bout de quelque temps, voulant savoir où en était le travail mais gêné à l'idée que l'étoffe pouvait décider de sa compétence, il décida d'envoyer son vieux ministre, car qui mieux que lui remplissait son emploi ?
Or, en entrant chez les deux soi-disant tisserands, le ministre ne vit que deux hommes gesticulant sur des métiers vides.

– Grand Dieu ! se dit-il, je ne
vois rien du tout. Est-il possible que je sois
bête ? Ou que je remplisse mal mes fonctions ? Surtout,
surtout, cela ne doit pas se savoir !
– Approchez, monsieur le ministre, fit le premier escroc.
Voyez ces couleurs : ne sont-elles pas charmantes, et ce
dessin, qu'en dites-vous ?
– Euh... absolument magnifique, en effet.
Et pour ne pas avoir à avouer qu'il ne voyait rien, le ministre
fit à l'empereur un rapport élogieux.
Les escrocs redemandèrent de l'argent pour poursuivre le
travail et l'empereur, toujours prudent, envoya bientôt un
haut fonctionnaire pour voir si l'étoffe serait bientôt prête. Et
comme le premier, celui-ci revint en lui vantant la grande
beauté d'une étoffe qu'il n'avait pas vue...

Alors l'empereur voulut la voir lui-même. Il se rendit sur les lieux avec toute sa cour, dont le ministre et le haut fonctionnaire, qui, pensant que les autres voyaient l'étoffe, prirent les devants :
– N'est-ce pas admirable, Majesté ? Ces dessins, ces couleurs...
L'empereur ne voyait rien, mais comment pouvait-il l'avouer ?
– C'est une splendeur, cela me plaît beaucoup.
Et toute la suite d'acquiescer en chœur :
– C'est une merveille ! Une magnificence !
Et d'insister pour que, à l'occasion de la prochaine grande procession, l'empereur s'habille dans un costume taillé dans cette superbe étoffe...

La veille de la procession, par les fenêtres illuminées du palais, chacun put donc observer nos deux escrocs en plein travail, coupant l'air avec de grands ciseaux et tirant sur des aiguilles sans fil. Au matin, les bras vides, ils présentèrent à l'empereur le costume terminé.
– Votre Majesté veut-elle avoir la bonté de se déshabiller,

pour que nous lui mettions l'habit neuf devant ce grand miroir ?
Et, une à une, ils lui tendirent les pièces imaginaires en disant :
– L'étoffe est légère comme une toile d'araignée. À croire que l'on n'a rien sur le corps !

Puis ils firent mine de lui attacher aux épaules une traîne, que les chambellans firent semblant de ramasser par terre et de relever.
Alors la procession commença. Et toute la ville se mit à bruire de compliments :
– Dieu, quel costume ! Et quelle traîne ! C'est du plus bel effet !
Car, bien sûr, personne ne voulait passer pour un sot, ni risquer de perdre son emploi.
Mais, tout à coup, une petite voix d'enfant se fit entendre :
– L'empereur est tout nu !
Et chacun de chuchoter à son voisin :
– L'empereur est tout nu, c'est un enfant qui l'a dit.
Et bientôt c'est tout le peuple qui s'exclamait :
– L'empereur est tout nu !
L'empereur eut un frisson de doute, mais prit une allure plus fière encore. Il marcha d'un pas ferme, suivi par des chambellans tenant une traîne qui n'existait pas.

# Hansel et Gretel

À la lisière d'une grande forêt vivait un bûcheron avec sa femme et ses deux enfants, Hansel et Gretel. Il gagnait si mal sa vie qu'il avait du mal à nourrir sa famille. Or, bientôt, la famine s'installa. Un soir que le pauvre homme confiait ses soucis à sa femme, il s'entendit répondre :
– Si nous ne nous débarrassons pas des enfants, c'est nous quatre qu'on mettra bientôt au tombeau. Demain, nous les emmènerons au cœur de la forêt. Là, nous nous débrouillerons pour les y laisser.
Le père eut beau protester, elle insista tant et si bien qu'il dut céder.
Mais les enfants, qui ne dormaient pas, avaient tout entendu.
– C'en est fini de nous, Hansel, fit Gretel en fondant en larmes.
– Ne crois pas ça, petite sœur. Fais-moi confiance, je saurai nous tirer d'affaire.

Il attendit que ses parents soient endormis et se glissa dehors. À la lueur de la pleine lune, les cailloux brillaient comme des sous neufs. Il s'en remplit les poches, puis rentra se coucher sur la pointe des pieds.

– Debout, fainéants ! Nous allons tous dans la forêt pour y faire du bois.

C'était la voix de la marâtre qui, dès l'aube, les réveillait.

Ils se mirent en chemin, mais Hansel prit soin de rester derrière, pour pouvoir, de temps à autre, tirer un caillou de sa poche et le laisser tomber. Arrivés au cœur de la forêt, ils firent du feu, puis les parents s'éloignèrent en disant :

– Reposez-vous un peu, nous viendrons vous chercher quand nous aurons fini notre travail.

Hansel et Gretel attendirent, attendirent... et finirent pas s'endormir. Lorsqu'ils se réveillèrent, il faisait nuit noire et Gretel prit peur.

Mais Hansel la rassura :
– Attends seulement que la lune soit levée : mes petits cailloux luiront si fort qu'il suffira de les suivre pour rentrer. 
Il disait vrai : au petit matin, les enfants frappaient à la porte de leur maison.
Le père en fut tout heureux, mais pas la mère. Elle le harcela jusqu'à ce qu'il accepte de les ramener en forêt, encore plus loin.
Cette fois, Hansel n'avait pas de cailloux. Alors il sema les miettes de son morceau de pain derrière lui. Hélas, quand il fallut retrouver le chemin, les oiseaux les avaient toutes fait disparaître !

Hansel et Gretel marchèrent au hasard, pendant des heures. Mais ils tournaient en rond.
Affamés, épuisés, ils commençaient à perdre tout espoir lorsqu'ils aperçurent, cachée au milieu des arbres, une minuscule chaumière.
Ils s'approchèrent et, surprise, virent que les murs étaient en pain d'épice et les fenêtres en sucre !
Vite, ils s'en cassèrent chacun un morceau qu'ils se mirent à dévorer.
– Grignoti, grignoton, qui grignote ma maison ? fit une voix qui venait de l'intérieur.
Et une tête toute fripée passa par la porte.
De peur, ils lâchèrent leurs morceaux. Mais la voix s'adoucit :
– Entrez, entrez donc, mes petits !
La vieille leur servit du lait, des crêpes, du miel, puis elle les installa dans deux lits douillets, où ils s'écroulèrent, émerveillés.
Mais, au matin, Hansel fut réveillé par des mains osseuses qui le jetèrent dans une cage. La vieille était en fait une sorcière, qui appréciait fort la chair des petits enfants...

Gretel, elle, fut astreinte aux corvées de la maison. Malgré ses pleurs, elle dut nourrir son frère, trop maigre au goût de la sorcière.
Chaque matin, celle-ci demandait à Hansel de lui tendre son doigt pour voir s'il était assez gras. Car elle était myope.
Mais Hansel lui tendait un petit bout d'os...

Après trois semaines, lassée d'attendre, elle mit du bois à brûler dans le four, puis dit à Gretel :
– Faufile-toi dedans, et vois si c'est assez chaud.
Mais Gretel avait compris :
– Comment pourrais-je y entrer, c'est trop étroit !
– Petite sotte ! Regarde : je pourrais y passer moi-même.
Et la sorcière engagea sa tête dans l'ouverture. Alors Gretel la poussa d'un grand coup pour la faire basculer dedans, et referma la porte.

Puis elle tira Hansel de sa cage, et ils dansèrent de joie. Ensuite, ils fouillèrent les coffres de la maison et mirent toutes les perles qu'ils trouvèrent dans leurs poches, avant de repartir. Arrivés devant une rivière qui leur barrait la route, ils demandèrent de l'aide à un gros canard, qui, bravement, les fit traverser sur son dos. Arrivés sur l'autre rive, ils reconnurent bientôt les lieux et coururent vers la maison de leur père. Ils se jetèrent à son cou.

Le pauvre homme était tout affligé depuis qu'il avait abandonné ses enfants dans la forêt. Mais la marâtre, elle, était morte.

Dès lors, ils vécurent ensemble heureux, et loin de tout souci : les perles de la sorcière avaient chassé la faim.

# Olaf et l'Aigle géant

Au bord d'un des cent mille fjords de Scandinavie s'élevait un château où vivait le seigneur de Flagh-Staad. Tous les jours, Olaf, son jeune fils de dix ans, descendait la falaise par une sorte d'escalier naturel jusqu'à une plate-forme rocheuse où la mer venait se briser en rugissant. Là, il écoutait les secrets qu'elle chuchotait aux rochers, s'émerveillait du vol des mouettes s'engouffrant entre les parois verticales, s'amusait de leurs cris perçants et les regardait nicher dans le moindre trou de roche.

Ce matin-là, Olaf était descendu dès l'aurore. Soudain, le soleil fut voilé par une ombre. Il leva le nez et n'en crut pas ses yeux : un immense oiseau noir, d'une envergure telle que ses ailes frôlaient les bords du fjord, venait de s'abattre sur l'entrée du goulet. Déjà il s'attaquait aux mouettes, les frappant de son long bec crochu.

Alors les mouettes se regroupèrent pour le harceler. L'aigle reprit de la hauteur, mais c'était pour mieux fondre sur elles et les disperser. Puis il s'accrocha aux trous de la falaise et entreprit de piller leurs nids.

Le voyant dévorer œufs et oisillons, Olaf, furieux, se mit à lui lancer des pierres. Comme elles ne lui faisaient aucun mal, il comprit qu'il lui fallait monter plus haut, pour pouvoir l'atteindre du dessus.

Et, sans réfléchir au danger, il escalada la falaise de plusieurs mètres, se rattrapant plusieurs fois de justesse. Enfin, parvenu à bonne hauteur, il saisit une lourde pierre et la jeta à la verticale. Touché à la tête, l'oiseau lâcha prise et s'abîma dans la mer. Le corps plaqué contre la paroi, Olaf reprenait son souffle quand un grand froufrou d'ailes lui parvint aux oreilles. Levant les yeux, il vit une immense couronne d'ailes blanches tourner au-dessus de sa tête : c'étaient les mouettes, venues lui dire leur reconnaissance.

Il voulut leur faire signe, mais perdit l'équilibre et tomba dans le vide.
La falaise était si haute qu'il eut l'impression de tomber dans un gouffre sans fond. Il ferma les yeux. Rien. Lorsqu'il les rouvrit, il se crut au paradis. Il était allongé sur un lit de mousse, au fond d'une vaste grotte à la lumière étrange, où flottaient des brumes vertes et bleues.
Devinant une ouverture lumineuse, il se rapprocha et se retrouva sur un balcon qui surplombait la mer. C'est alors qu'il vit s'approcher la créature la plus étrange qu'il eut jamais vue.

Elle ressemblait à un gros papillon. Il eut un réflexe de défense, mais elle lui dit d'une voix douce :
– Je suis un elfe, et les elfes ne font pas de mal aux enfants.
– Je... je croyais que les elfes étaient comme des sortes de lutins, coiffés d'un bonnet pointu !
Le gros papillon sourit et l'invita à le suivre. Ils traversèrent un long couloir, puis entrèrent dans une seconde grotte encore plus vaste que la première, où une multitude d'elfes de toutes couleurs faisaient cercle autour d'un trône de cristal. Sur les ailes du roi rivalisaient les sept couleurs de l'arc-en-ciel.
– Jeune Olaf, je te souhaite la bienvenue dans mon royaume. Nous t'avons saisi dans ta chute avant que tu ne t'écrases, car tu as accompli un acte de folle bravoure, qui a sauvé des centaines de vies.
– Mais comment se fait-il, ô roi des elfes, qu'aucun homme n'ait encore découvert ton royaume ?
– Mon royaume n'est pas creusé dans la roche, comme tu le crois, il flotte entre les vagues et l'écume, entre le soleil et le vent, entre l'esprit et le rêve.
– Tout cela n'est donc qu'un songe, fit Olaf à regret.
Alors le roi frappa dans ses mains. Un elfe aux ailes d'azur s'avança et lui remit un coffret.
– Regarde, fit le roi en l'ouvrant. La pierre avec laquelle tu as tué le rapace s'est transformée en gros diamant. Il est à toi, mais à une condition : que tu ne racontes jamais tes aventures.

Et il frappa une seconde fois dans ses mains. Une porte s'ouvrit dans le roc, Olaf se sentit saisir sous les bras et emporter dans un tourbillon d'air, et se retrouva, comme par miracle, sur la corniche d'où il était tombé.

Longtemps il contempla sous ses pieds les mille gouttelettes nées de l'écume des vagues et qui transforment la lumière en arc-en-ciel.
En remontant chez lui, Olaf avait déjà oublié sa promesse. Il s'imaginait montrant à son père le superbe diamant : « Père, je suis allé au pays des elfes. Le roi m'a donné... »
Il poussa un cri : le diamant lui glissait des mains.
– Non, je ne dirai rien ! hurla-t-il.
– Rien ! Rien ! répondit l'écho.
Il serra sa pierre entre ses doigts, courut jusqu'au château et, discrètement, la cacha au fond du jardin.

# Aladin

Dans la capitale d'un royaume de Chine vivait avec sa mère un jeune garçon nommé Aladin, qui était pauvre mais aussi très paresseux. Un jour qu'il jouait dans la rue comme à l'accoutumée, il vit venir vers lui un étranger :

– Je suis marchand et j'ai bien connu ton père avant sa mort : je veux te venir en aide.

Il l'emmena dans une des riches boutiques de la ville, où il lui offrit un superbe vêtement. Puis, tout en lui parlant de richesses, de voyages et de lieux merveilleux, il réussit à l'attirer hors de la ville, dans les champs d'abord, puis sur les premières montagnes, et enfin dans un étroit vallon.

Là ils s'arrêtèrent et firent un feu. Alors l'homme versa quelques gouttes de parfum sur les flammes en prononçant des paroles mystérieuses, et aussitôt la terre se mit à trembler. Elle s'ouvrit à leurs pieds, découvrant une lourde trappe de pierre.

– Si tu m'obéis, fit le magicien, tu seras un jour plus riche que tous les sultans de la terre. Soulève cette pierre en prononçant le nom de ton père. Puis descends dans la caverne et traverse-la. Au bout, tu trouveras une porte qui donne sur un jardin. Si les fruits des arbres te tentent, prends-en. Puis va jusqu'à une petite niche, prends la lampe qu'elle abrite et apporte-la-moi.

Et de son doigt il retira un anneau qu'il glissa au doigt d'Aladin :

– Cet anneau te préservera de tout mal. Va.

Aladin descendit, traversa la caverne et découvrit sans peine la fameuse lampe. Il la saisit et rentra, non sans se remplir les poches des fruits du jardin, qui avaient l'aspect de perles de verre multicolores.

Arrivé au pied du trou, il demanda au marchand de l'aider à remonter.

– Donne-moi d’abord la lampe, fit celui-ci, les yeux brillant de convoitise, en lui tendant une main avide.
Alors Aladin prit peur.
– Non, fais-moi sortir d’abord, et je te la donnerai.
Le magicien insista, mais sans succès. Alors, furieux, il prononça deux paroles magiques et la terre se referma. Puis il disparut vers sa terre d’origine, l’Afrique.

Aladin, prisonnier dans le noir, se crut perdu. Mais, joignant les mains pour implorer le ciel, il frotta sans y prendre garde l’anneau qu’il avait au doigt. Sur-le-champ, un gigantesque et hideux génie s’éleva devant lui.
– Je suis l’esclave de l’anneau. Commande et je t’obéirai.
– Qui que tu sois, fais-moi sortir, si tu le peux !

Et dans l'instant, Aladin se retrouva dehors.
Rassemblant alors le reste de ses forces, il prit la route de la ville et rentra chez lui. Là, il raconta son aventure à sa mère et, comme il mourait de faim, il lui suggéra de vendre la lampe pour acheter à manger.
La mère voulut la nettoyer, mais au premier frottement, un immense génie parut devant elle et dit d'une voix forte :
– Je suis l'esclave de la lampe. Commande et je t'obéirai.
Aladin saisit la lampe et, sans hésitation, commanda un copieux repas. Un instant plus tard, ils avaient devant eux les mets les plus fins, servis dans les plus beaux plats.
Pour la mère et le fils, c'était la fin de la misère. La lampe, désormais, pourvoyait à tout. Mais ils n'en usèrent que modérément et vécurent ainsi plusieurs années de tranquille bonheur.
Entre-temps, Aladin était devenu un grand et beau jeune homme. Or, un jour, il aperçut sans son voile le visage de la princesse Badroulboudour, la fille du sultan.

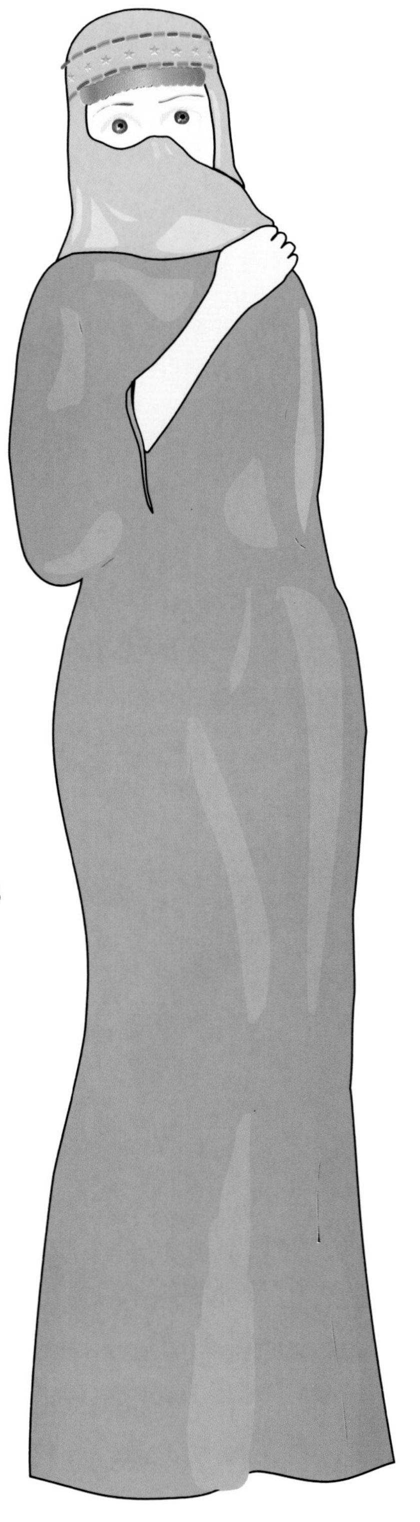

Ébloui, il se mit en tête de l'épouser et finit par obtenir de sa mère qu'elle présente au sultan sa requête, accompagnée, à titre d'offrande, des perles multicolores qu'il avait cueillies dans le jardin souterrain – car, il le savait à présent, il s'agissait de pierres de grande valeur. Le sultan, émerveillé mais avide, exigea d'autres preuves de richesse. Aladin fit alors appel au génie de la lampe, qui prodigua tout l'or et l'argent qui lui fut demandé. Et c'est ainsi qu'Aladin se vit accorder la main de la fille du sultan.

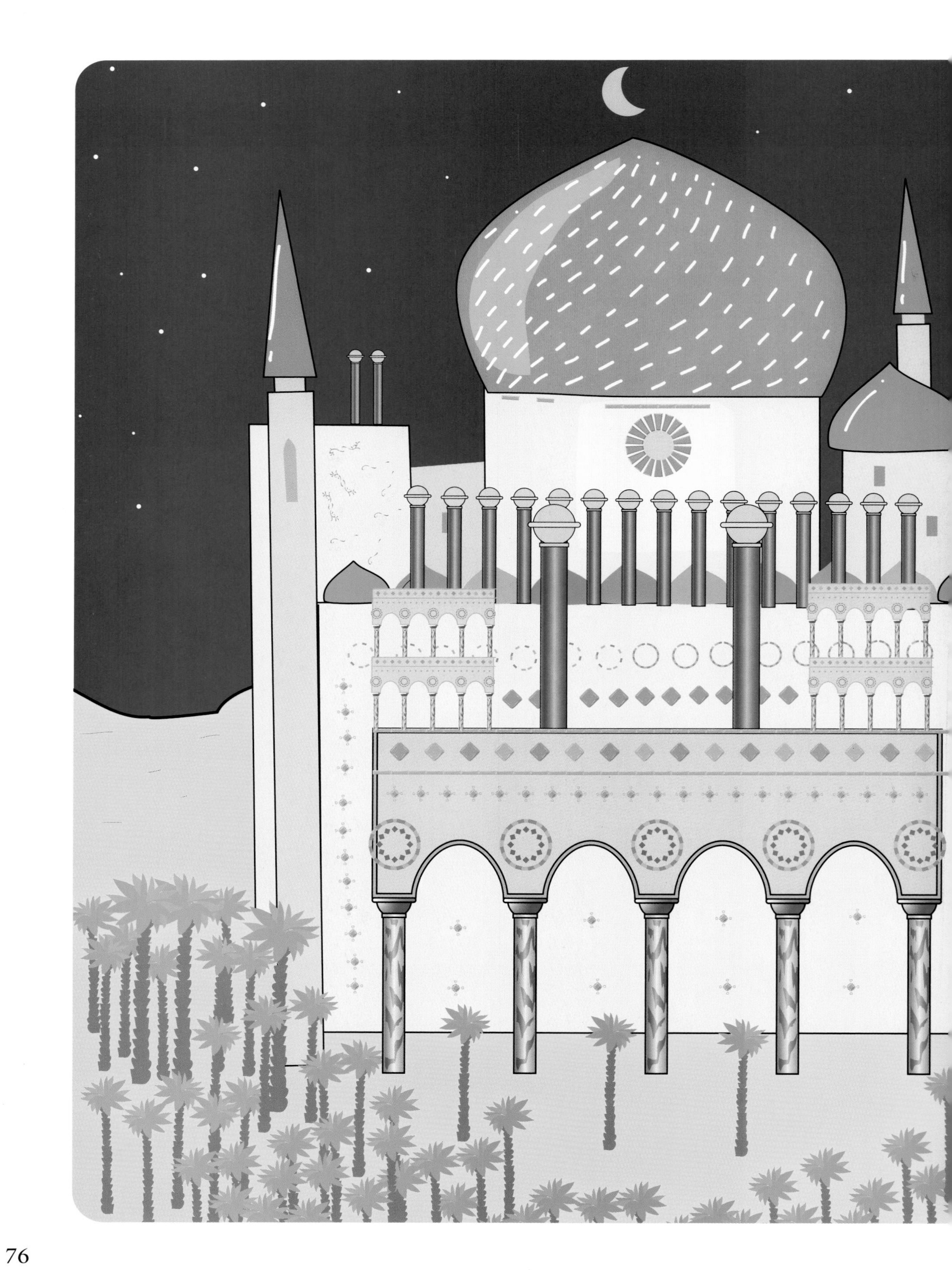

Mais Badroulboudour ne méritait-elle pas d'être logée dans une demeure à la mesure de son rang ? À nouveau, Aladin eut recours à la lampe :
– Génie, fais-moi construire un palais aux assises d'or et d'argent, surmonté d'un dôme enrichi de diamants et flanqué de superbes écuries.
Et, au soir du mariage, le jeune couple s'installa dans un superbe palais. Il y vécut des années de bonheur.
La réputation d'Aladin finit par traverser les continents et, un jour, le magicien lui-même en eut vent. Piqué par la jalousie, il revint en marchand ambulant.
– Qui veut changer des vieilles lampes contre des lampes neuves ? vint-il clamer aux abords du palais.

Amusée par une offre aussi saugrenue et se souvenant d'avoir vu une vieille lampe au salon, Badroulboudour pria sa servante d'aller l'échanger contre une neuve...
Et le magicien rentra enfin en possession de la lampe merveilleuse.

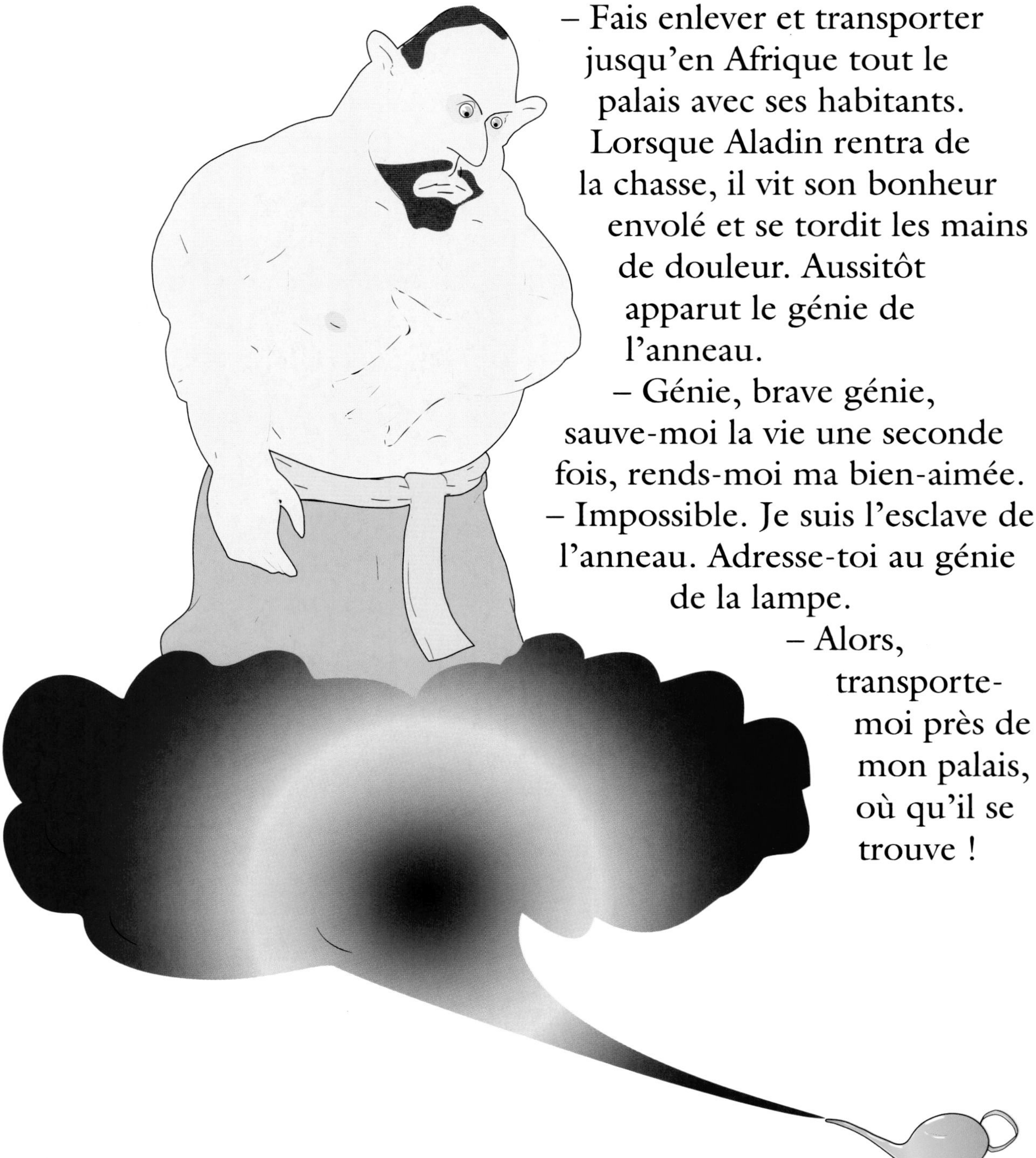

Aussitôt, il fit apparaître le génie :
– Fais enlever et transporter jusqu'en Afrique tout le palais avec ses habitants.
Lorsque Aladin rentra de la chasse, il vit son bonheur envolé et se tordit les mains de douleur. Aussitôt apparut le génie de l'anneau.
– Génie, brave génie, sauve-moi la vie une seconde fois, rends-moi ma bien-aimée.
– Impossible. Je suis l'esclave de l'anneau. Adresse-toi au génie de la lampe.
– Alors, transporte-moi près de mon palais, où qu'il se trouve !

Et Aladin se retrouva sous les fenêtres de la princesse, qui, l'apercevant, le fit entrer discrètement et lui raconta toute l'histoire. Ensemble ils décidèrent que, au repas du soir, elle verserait du poison dans le verre du magicien.
C'est ainsi qu'Aladin put récupérer la lampe merveilleuse et faire ramener le palais en Chine, où l'on donna une fête qui dura dix jours. À la mort du sultan, Aladin et son épouse lui succédèrent et régnèrent durant de longues années.

# Boucle d'or

Il était une fois une petite fille qui vivait à la lisière d'un grand bois et qu'on surnommait Boucle d'or, car elle avait de beaux cheveux blonds et bouclés.

Un matin que le soleil frappait aux volets de sa chambre, elle eut envie d'aller se promener en forêt. Elle sortit par la porte du jardin, entra dans le bois et marcha. Alors qu'elle commençait à sentir la fatigue et la faim, elle aperçut soudain, au milieu des arbres, une adorable chaumière aux volets jaunes. Elle s'approcha.

Elle frappa à la porte, mais personne ne répondit. Elle glissa un œil par la fenêtre et vit, disposés sur une table, trois bols de bouillie : un grand, un moyen et un petit. Elle tourna la poignée et la porte s'ouvrit.

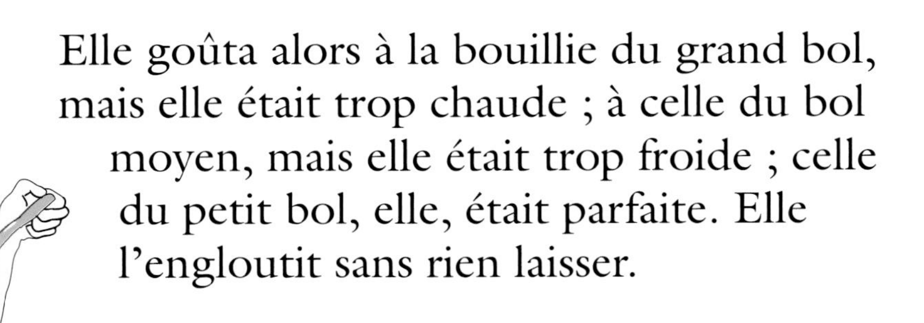

Elle goûta alors à la bouillie du grand bol, mais elle était trop chaude ; à celle du bol moyen, mais elle était trop froide ; celle du petit bol, elle, était parfaite. Elle l'engloutit sans rien laisser.

Puis elle chercha un endroit où s'asseoir, et vit qu'il y avait trois chaises : une grande, une moyenne et une petite. Elle s'assit dans la grande, mais elle était trop dure. Elle essaya la moyenne, mais elle était trop molle. La petite, elle, était parfaite. Elle s'y installa, mais la chaise se brisa sous son poids.

– Je suis pourtant bien fatiguée, se dit-elle.
Et elle monta à l'étage.
Là, elle découvrit trois lits.
Elle s'étendit dans le grand, mais il était trop dur ; elle essaya le moyen, mais il était trop mou. Le petit, lui, était parfait. Elle s'y coucha, ferma les yeux et s'endormit.
C'est alors que la porte s'ouvrit, laissant entrer... une famille d'ours. Papa, Maman et Bébé ours étaient sortis se promener en attendant que la bouillie refroidisse et rentraient se mettre à table.

– Quelqu'un a goûté à ma bouillie, fit Papa ours de sa grosse voix, voyant la cuiller dans son bol.
– Quelqu'un a goûté à ma bouillie, fit Maman ours de sa voix douce.
– Quelqu'un a goûté à ma bouillie et l'a toute mangée ! s'exclama Bébé ours de sa voix claire.

Alors ils jetèrent un regard sur la pièce.
– Quelqu'un s'est assis sur ma chaise, fit la grosse voix en voyant le coussin affaissé.
– Quelqu'un s'est assis sur ma chaise, fit la voix douce.
– Quelqu'un s'est assis sur ma chaise et l'a cassée ! fit la voix claire en pleurant presque.

Et ils grimpèrent à l'étage.
– Quelqu'un s'est couché dans mon lit, fit Papa ours en voyant l'oreiller déplacé.
– Quelqu'un s'est couché dans mon lit, fit Maman ours.
– Quelqu'un s'est couché dans mon lit et y dort encore ! S'extasia Bébé ours en découvrant des cheveux blonds qui sortaient des draps.

Mais la voix claire avait réveillé Boucle d'or. Elle ouvrit les yeux et, voyant trois visages d'ours penchés sur elle, sauta du lit et s'enfuit à toutes jambes jusque chez elle.
Jamais plus elle n'eut le courage de s'aventurer seule dans la forêt.

# L'Oiseau de feu

Il était une fois un roi tout-puissant, qui avait un fidèle capitaine plein de bravoure, maître d'un cheval plein de fougue.

Un jour que le capitaine chassait sur son cheval fougueux, il aperçut une plume d'or qui brillait par terre. Il mit pied à terre pour la ramasser, mais son cheval prit la parole :

– Ne prends pas cette plume d'or, elle appartient à l'Oiseau de feu. Si tu la ramasses, il t'arrivera malheur !

Pourtant le capitaine prit la plume et alla l'offrir au roi, en espérant quelque récompense.

– Brave capitaine, fit le roi, puisque tu es capable de trouver une de ses plumes, tu peux tout aussi bien trouver l'Oiseau de feu tout entier ! Ramène-le-moi, ou je te ferai trancher la tête.

Le capitaine, éploré, alla trouver son cheval.

– Je t'avais bien dit qu'il t'arriverait malheur, fit celui-ci.
Mais n'aie pas peur, le malheur est encore loin devant toi.
Va voir le roi et demande-lui de répandre cent sacs de blé
sur la grande prairie derrière la forêt.
Le lendemain, attiré par tout ce blé répandu, l'Oiseau de feu
descendit dans la prairie, dans un grand bruissement d'ailes.

Le cheval s'approcha alors sans bruit, posa un sabot sur une aile de l'oiseau, et le capitaine n'eut plus qu'à lui lier les pattes et à le ramener chez le roi.
– Brave capitaine, lui fit celui-ci, puisque tu es si habile, tu devrais aussi pouvoir m'amener la fiancée de mes rêves, la princesse Vassilissa. Elle vit aux confins de la Terre, là où le soleil rouge se lève sur la mer bleue. Ramène-la-moi, ou je te ferai trancher la tête.

Désespéré, le capitaine retourna auprès de son cheval.

– Je te l'avais bien dit, fit celui-ci. Mais n'aie pas peur, le malheur est encore loin devant toi. Demande au roi de te confier sa tente d'or, ainsi que du pain et du vin.

Et, le lendemain, ils partirent pour un long voyage, jusqu'aux contrées où le soleil rouge se lève sur la mer bleue.

Là, ils aperçurent la princesse, qui passait en chantonnant sur sa barque d'argent. Le capitaine dressa la tente d'or, et, lorsque Vassilissa s'approcha, il l'invita à goûter au pain et au vin de son lointain pays. Elle mangea et but, puis, grisée, s'endormit. Alors le capitaine la déposa sur son cheval, et fila comme une flèche.

Lorsqu'elle se réveilla, la princesse était chez le roi, loin, très loin de sa mer bleue. Elle se mit à pleurer. Le roi lui expliqua alors qu'il voulait l'épouser, mais elle déclara :
– Jamais je ne me marierai sans ma robe de mariée. Que celui qui m'a enlevée en traître aille donc la chercher, elle est sous un gros rocher noir au milieu de la mer bleue !
Le capitaine fut contraint de repartir sous peine d'y laisser la vie.
– Je te l'avais bien dit, fit le cheval. Mais n'aie pas peur, le malheur est encore loin devant toi.
Lorsqu'ils arrivèrent au bord de la mer bleue, le cheval vit un gros crabe qui courait sur la plage et posa son sabot sur ses pinces.
– Ne me fais pas de mal ! hurla le crabe. Je suis le roi des crabes, laisse-moi en vie et je ferai ce que tu voudras.
– Va chercher la robe de la princesse sous le gros rocher noir et rapporte-la-moi.
Une heure après, des milliers de crabes rapportaient au bout de leurs pinces une robe ruisselante de diamants.
Le capitaine s'en saisit, la posa sur son cheval et rentra.

Mais, quand il la déposa aux pieds de la princesse, celle-ci dit au roi :
– Je ne t'épouserai qu'à condition que tu fasses jeter dans l'eau bouillante ce méchant capitaine qui m'a arrachée à la mer bleue.
Alors, sans une hésitation, le roi fit mettre de l'eau à bouillir dans le chaudron.
– À présent, le malheur est devant moi, se dit le capitaine effondré. Ah ! que n'ai-je écouté mon brave cheval !
Et il demanda au roi la permission de faire ses adieux à sa bête.
– Enfin tu comprends ton erreur, lui dit le cheval. Eh bien, ne désespère pas, tu vivras !

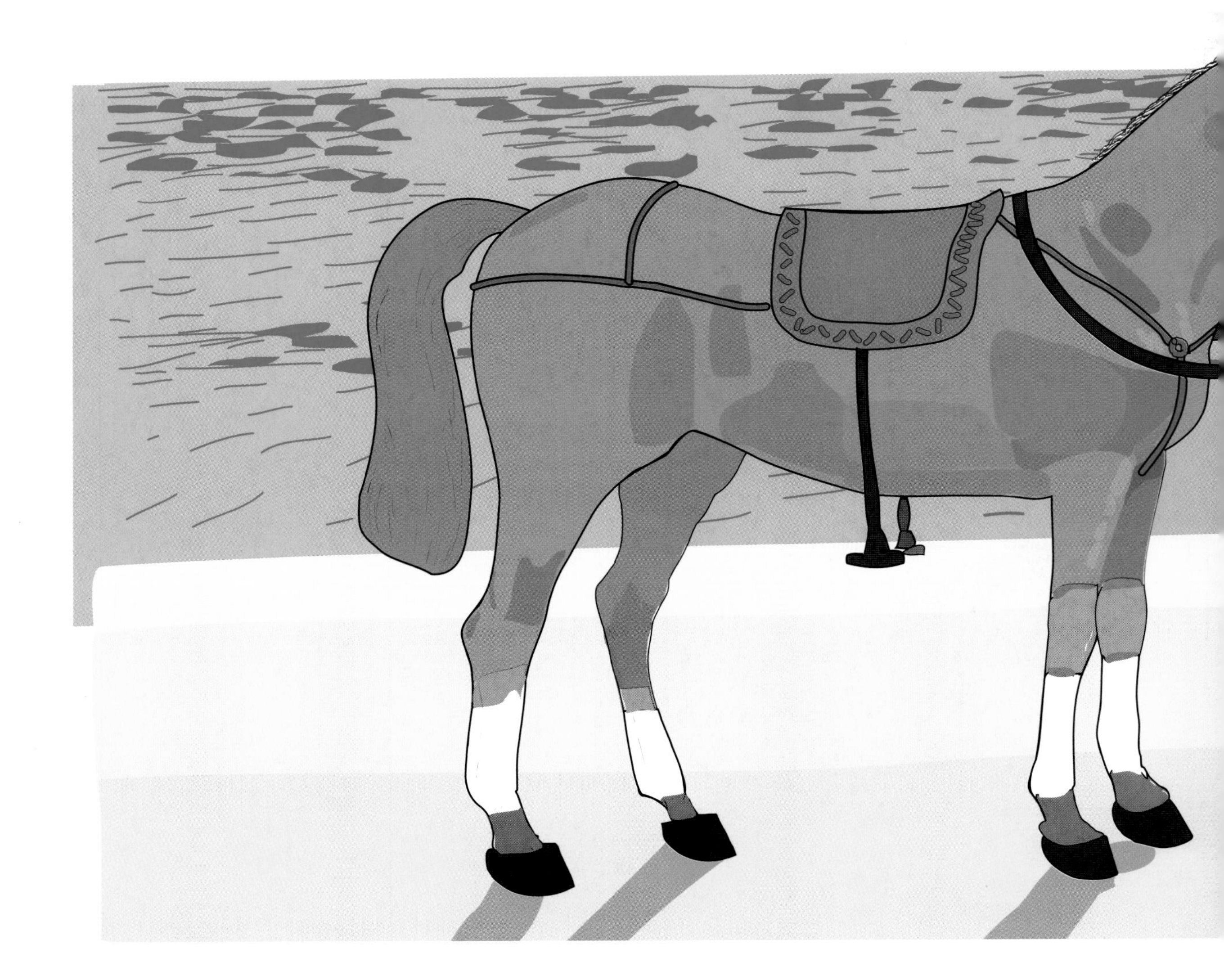

Et, d'un coup de langue sur le visage, il l'ensorcela.
Si bien que lorsqu'on plongea le capitaine dans le chaudron, celui-ci s'enfonça, puis resurgit d'un bond, resplendissant de beauté.
Alors le roi voulut lui aussi se baigner dans l'eau miraculeuse.
Il sauta dans le chaudron et mourut ébouillanté.
Le capitaine fut proclamé roi. Et il épousa la princesse Vassilissa, qui, éblouie par sa beauté, avait oublié sa rancœur.
Ils vécurent heureux, s'en allant souvent, sur le dos du cheval fougueux, passer de longs moments ensemble dans les contrées où le soleil rouge se lève sur la mer bleue.

*CONTES POUR LES TOUT-PETITS*
*publié par Sélection du Reader's Digest*

*Impression et reliure : Proost, Turnhout*

*PREMIÈRE ÉDITION*

*Achevé d'imprimer : septembre 1997*
*Dépôt légal en France : octobre 1997*
*Dépôt légal en Belgique : D-1997-0621-148*

*IMPRIMÉ EN BELGIQUE*
*Printed in Belgium*